Colección: Un gato gris

Dirección editorial y edición: Norma Huidobro

Diseño y diagramación: Marcelo Torres

www.delnaranjo.com.ar

Pablo Möller

Nació en 1982, en Buenos Aires. Es Licenciado en Letras por la UBA y trabaja como docente de Literatura en enseñanza media. Coordinó diversos talleres literarios junto a colegas escritores en espacios como el EcuNHi, La escuela de las artes y la librería Crack-Up. La combinación entre texto e imagen que propone el libro ilustrado le abrió un nuevo mundo de interés y se dedica a esta clase de proyectos desde hace algunos años.

Matías Acosta

Nació en Paysandú, Uruguay, en 1980. Estudió Cine y Animación en Montevideo, y se dedica a la Ilustración. Ha ilustrado varios libros para Uruguay y Argentina. Por su trabajo para el libro *La mancha de humedad* de Juana de Ibarbourou (Banda Oriental, 2014), integró la lista White Ravens 2015 de la Biblioteca de Munich.

Ha sido seleccionado para formar parte de la IV Bienal de Ilustración de Croacia y, en 2017, del VIII Catálogo Iberoamericano de Ilustración.

Möller, Pablo
    Sombra / Pablo Möller ; ilustrado por Matías Acosta. - 1a ed . - Ciudad Autónoma de Buenos Aires : Del Naranjo, 2019.
    28 p. : il. ; 20 x 26 cm.

    ISBN 978-987-3854-72-9

    1. Literatura Infantil Argentina. I. Acosta, Matías, ilus. II. Título.
    CDD 863.9282

Pablo Möller

SOMBRA

Ilustraciones de
Matías Acosta

del Naranjo

Se trata de dos amigos,
Sombra e Ismael.

Viven pasando las vías del tren, donde las luces de la ciudad no iluminan.

Junto a su casa hay una huerta, junto a la huerta, un gallinero. Hasta el invierno pasado, donde ahora está la huerta, solía pastar una vaca, pero ya no.

Sombra es un campeón cazando liebres.

Las persigue incansable por el monte hasta que sucede
una de dos cosas.

O bien atrapa a la liebre con una mordida certera, o bien la deja escapar como si no quisiera malgastar su don.

A Ismael le gusta que Sombra sea así, impredecible.

Cada mañana, mientras Ismael se viste,
Sombra sale a hacer pis en un árbol.

Ahí donde Sombra decide aliviarse, la
escarcha matinal se llena de venitas doradas
y después desaparece en forma de vapor.

Las noches de verano, Ismael sube un colchón al techo de la casa y se tira a dormir bajo las estrellas.

Así nomás, sin sábanas ni mosquiteros,
como hacía su Tata.

Cuando el sol despunta detrás del monte, Ismael baja con el colchón
y pone agua para el mate.

"¿Qué te parece si salimos a cazar hoy?"

El paseo transcurre sin novedad hasta que se escucha un ruido de pisadas sobre pasto.

Es un ruido imperceptible; un crepitar, apenas, de piedritas y ramas, pero Sombra lo escucha.

De pronto, la liebre sale de su escondite y se aleja
bordeando el guadal a la velocidad del rayo.

Sombra la sigue sin perderle pisada.
La lengua afuera,

los talones voladores,

el tranco corto y explosivo.

La liebre elude los tarascones con una agilidad increíble,
pero sólo es cuestión de tiempo hasta que su energía
se agote por completo.

Entonces, sin motivo aparente, Sombra se detiene en seco
y da por terminada la persecución.

La liebre se pierde en las profundidades del monte sin
agitar la hierba.

Alguien debería avisarle que ya está fuera de peligro.

Sombra e Ismael se reúnen junto al árbol caído para emprender el regreso.

Vuelven con las manos vacías, pero está bien así.
Ya empieza a oscurecer y las gallinas esperan por su ración de agua y maíz.